Sheltie
et le trésor caché

BIOGRAPHIE

Peter Clover est né et a grandi à Londres. Il a commencé sa carrière comme illustrateur avant de mettre des mots autour de ses illustrations. Il adore peindre, voyager, cuisiner et se maintenir en forme. Il habite sur la côte Sud de l'Angleterre, à Somerset.

ILLUSTRATIONS INTÉRIEURES:
PETER CLOVER
ADAPTATION :
HÉLÈNE TEILLON

et le trésor caché

PETER CLOVER

TRADUIT DE L'ANGLAIS
PAR MICHELLE ESCLAPEZ

CINQUIÈME ÉDITION

BAYARD JEUNESSE

Titre original
SHELTIE n°2
Sheltie Saves the Day

© 1996, Working Partners Ltd.,
Tous droits réservés. Reproduction même partielle interdite.
Sheltie est une marque déposée de Working Partners Limited.
Publié pour la première fois par Puffin's books, 1996
Créé par Working Partners Limited ; London W6 0QT
© 2001, Bayard Éditions Jeunesse
pour la traduction française
Loi n° 49 956 du 16 juillet 1949
sur les publications destinées à la jeunesse
Dépôt légal : février 2001

ISBN : 2 7470 1811 3

1

Ce matin-là, les parents d'Emma avaient décidé de repeindre la porte d'entrée de leur maison. Mme Matthews ponçait les montants au papier de verre, et son mari remuait la peinture en surveillant du coin de l'œil le petit Jim, qui cherchait à y plonger ses doigts.

Tous trois levèrent la tête en entendant Emma dévaler le chemin, montée sur Sheltie, son poney shetland.

M. Matthews sourit :

– Voici notre cavalier solitaire !

Cela fit rire sa femme ; quant à Jim, il se mit à aller et venir sur le chemin en frappant des mains. Il croyait que Sheltie était un cheval de course, et voir sa sœur dessus l'excitait au plus haut point !

Il y eut un bruit de sabots raclant le gravier, et Emma et Sheltie s'arrêtèrent devant eux.

Surprise, Mme Matthews recula :

– As-tu oublié les freins, Emma ?

Les parents de la petite fille ne l'avaient jamais vue dans un état pareil : son visage était rouge vif et elle semblait furieuse. Elle bondit de la selle.

– Que se passe-t-il ? demanda son père.

– C'est à cause de l'étang du Fer à Cheval, Papa. C'est affreux ! s'écria Emma.

– L'étang du Fer à Cheval n'a rien d'affreux, Emma, intervint sa mère. Il est magnifique.

– Je sais, dit Emma. L'étang est magnifique, tu as raison. Ce qui est affreux, c'est ce qu'ils veulent en faire.

– Qui, «ils»? demanda sa mère. Et que veulent-ils en faire?

Sheltie s'ébroua et souffla par les naseaux en secouant sa longue crinière en bataille.

– Sheltie aussi est tout retourné, dit Emma. Des hommes vont assécher l'étang et le remplir de terre. Ils vont abattre tous les arbres autour, et même raser le bois des Épines pour y installer un horrible camping!

– Certainement pas, rétorqua son père. L'étang du Fer à Cheval se trouve sur le terrain de M. Brown, et il ne laisserait jamais faire une chose pareille. Un camping! Voyons, c'est impossible, Emma!

– Mais c'est la vérité! insista Emma. J'ai entendu Mme Jenkins parler à son jardinier. Elle lui disait que c'était la plus mauvaise nouvelle qu'elle ait entendue depuis longtemps.

Le père d'Emma entra aussitôt dans la maison pour téléphoner à M. Brown. Il voulait connaître le fin mot de cette histoire.

Cinq minutes plus tard, il ressortit, l'air sombre:

– Tout ce que tu nous as dit est parfaitement exact, hélas!

Il raconta à sa famille que M. Brown avait des ennuis. Son tracteur était tombé en panne et il devait le remplacer. N'ayant pas d'argent, il était obligé de vendre une partie de ses terres.

Deux hommes l'avaient contacté, lui proposant de lui acheter son étang ainsi que le grand pré à côté. Le petit bois de houx devait aussi être vendu.

– Je ne pense pas qu'on puisse faire quoi que ce soit, ajouta tristement M. Matthews. Emma baissa la tête et ramena Sheltie dans son enclos. Elle était accablée.

2

Cet étang de forme si particulière était l'un des endroits préférés d'Emma. Un îlot de verdure se nichait là où les deux extrémités du « fer à cheval » se rapprochaient. Emma aimait s'y asseoir et regarder les collines qui ondulaient au-delà de l'étang. Sheltie, pendant ce temps, broutait paisiblement les grandes herbes des prés environnants.

Appuyée contre le tronc d'un grand chêne, Emma cherchait à reconnaître les oiseaux à leur chant. Elle guettait les poissons et s'émerveillait devant les libellules vertes ou bleues, qui étince-laient au soleil.

Elle rêvait qu'elle était une princesse, ou parfois même la reine, des pirates, et l'île devenait, selon le cas, son château ou le navire des aventuriers des mers. Toutes les terres alentour lui appartenaient!

Non, Emma ne pouvait pas s'imaginer le petit village de La Pommeraie sans son étang et son île magique.

Toutefois, dès le lendemain, deux hommes armés de pelles et de pioches débarquèrent d'une Jeep. Ils montèrent une tente dans le pré de M. Brown et s'y installèrent.

Quand Sheltie, portant Emma sur son dos, arriva au petit trot, les deux hommes étaient déjà au travail. Ils prenaient des mesures et délimitaient le tour du pré à l'aide de bâtons. Quand ils aperçurent la fillette et son poney, ils s'arrêtèrent et levèrent la tête. L'un d'eux était brun avec une barbe ; l'autre avait les cheveux roux et frisés. Emma n'aimait pas leur allure. Et Sheltie non plus.

Emma les salua, mais les deux hommes se contentèrent de la regarder. Enfin, celui à la barbe lança :

– Et où allez-vous comme ça, petite demoiselle ?

– À l'étang du Fer à Cheval, répondit Emma. Je viens toujours ici m'asseoir sous un arbre.

– Eh bien, maintenant, c'est terminé, ma petite ! reprit l'homme. Personne n'a plus le droit de traîner par ici, et même de s'approcher !

Sheltie souffla bruyamment. Emma devint toute rouge. Décidément, elle détestait le ton et la façon de parler de cet individu !

– Emma peut venir ici aussi souvent qu'il lui plaira, fit soudain une voix derrière elle.

C'était M. Brown. Tout en parlant, il ébouriffait la longue crinière de Sheltie.

– Ne t'inquiète pas, Emma, lui dit-il. Le pré n'a pas encore été vendu. J'ai seulement permis à ces hommes de vérifier quelques dimensions avant de conclure la vente. En attendant, tu peux y venir quand tu voudras.

Et M. Brown jeta aux deux hommes un regard sévère en signe d'avertissement. Ceux-ci grommelèrent quelque chose,

puis, d'un pas lourd et pesant, ils rega-
gnèrent leur Jeep.

– Tu es ici chez toi, pour le moment,
Emma, reprit M. Brown.

Emma lui fit un faible sourire, puis guida
Sheltie vers le bord de l'étang. Elle sauta
de la selle et lâcha Sheltie, qui se mit à
brouter les tendres pousses. Emma, assise
sur son petit îlot de verdure, regardait
M. Brown s'éloigner vers sa ferme.

Elle n'avait pas l'intention de rester longtemps, à cause des deux hommes, qui
étaient toujours là et qui continuaient à
l'observer. Mais elle n'allait pas leur faire
le plaisir de partir tout de suite !

3

Quelques minutes plus tard, l'homme aux cheveux roux traversa le pré en se dirigeant vers Emma. Son cœur battit la chamade.

– Bonjour, lui dit l'homme d'une voix aimable. Je suis désolé : mon ami s'est montré impoli tout à l'heure. C'est parce que nous avons beaucoup de travail et qu'il nous est difficile de le faire s'il y a trop de monde autour.

Emma ne répondit rien. Elle aurait bien

voulu que M. Brown revienne. Sheltie s'arrêta de mastiquer un moment et leva la tête, les yeux étincelants. Emma remarqua que l'homme tenait à la main un vieux morceau de papier, tout écorné.

– Qu'est-ce que vous mesurez? demanda-t-elle.

– Hum… nous prenons des mesures pour les canaux d'écoulement, répliqua l'homme hâtivement.

– Est-ce que vous allez vraiment combler l'étang?

– Naturellement, fit l'homme. On peut loger plusieurs caravanes là-dessus.

Emma leva les yeux vers le feuillage :

– Vous allez laisser l'arbre?

L'homme regarda l'immense chêne comme s'il le voyait pour la première fois.

– Ce n'est qu'un vieil arbre, dit-il négligemment.

Il désigna de son bout de papier le bois des Épines et ajouta :

– Et tous ceux-là aussi seront abattus.

Soudain, sans prévenir, Sheltie tendit le cou, arracha le papier de la main de l'homme et déguerpit à travers le pré, le papier coincé entre les dents.

L'homme, furieux, l'appela en hurlant ; Sheltie partit aussitôt au galop. Emma bondit sur ses pieds :

– Sheltie, reviens tout de suite !

Sheltie ne réagit pas. Il détalait vers son enclos aussi vite qu'il le pouvait. L'autre homme, qui avait vu la scène de loin, laissa tomber sa bêche et essaya de couper la route au poney. Mais Sheltie atteignit le bout du pré avant lui et s'élança sur le chemin de toute la force de ses courtes jambes. Les deux hommes le suivaient en haletant et vociférant, furieux, avec Emma sur leurs talons.

Sheltie rejoignit son enclos et il se réfugia dans son abri. Les deux hommes braillaient si fort que M. Matthews, alerté, sortit de la maison.

Les intrus écumaient de rage : seul un petit coin de leur papier dépassait encore des lèvres de Sheltie. Un simple mouvement des mâchoires, et il disparut tout entier.

– Oh, Sheltie, tu es un vilain ! s'exclama Emma.

En réalité, elle se réjouissait. C'était bien fait pour eux !

– Que s'est-il passé ? demanda le père d'Emma.

L'homme à la barbe noire montra le poney du doigt :

– Cette bête a mangé notre document !

M. Matthews pria l'homme de se calmer.
Sa femme était sortie à son tour. Elle prit
Emma par la main.

L'officier de police du village, le capitaine Green, qui montait le sentier sur sa
bicyclette, entendit les cris et se dirigea
vers l'enclos.

Dès que les deux individus le virent, ils
baissèrent le ton.

– Quelque chose ne va pas par ici ?
demanda le policier.

Emma lui rapporta l'événement. Elle

ajouta que son poney était vraiment désolé, et elle aussi.

Le capitaine déclara que, dans les circonstances présentes, l'affaire était close, et il renvoya les deux hommes d'où ils étaient venus.

4

Ce soir-là, quand sa mère monta lui souhaiter bonne nuit, Emma regardait de son lit les photos épinglées sur le mur de sa chambre. Elles représentaient l'étang du Fer à Cheval et le grand chêne. Elle les avait prises elle-même.

– Je suis sûre que Sheltie sait que ces hommes vont détruire cet endroit, expliqua-t-elle à sa mère. C'est pour ça qu'il a mangé leur bout de papier !

Mme Matthews était d'accord avec elle.

Elle l'embrassa et éteignit la lumière.

Toute la nuit, Emma se retourna dans son lit, continuant à se tourmenter à propos de l'étang et du nouveau camping. Elle ne dormit que d'un œil. Soudain, elle sursauta : Sheltie, dans son enclos, poussait des hennissements inquiétants. Elle bondit à la fenêtre de sa chambre.

La lune était pleine, et Emma distinguait la silhouette de Sheltie debout près de la barrière. Son regard se porta au-delà de l'enclos, vers le pré et l'étang. De jour, on pouvait apercevoir le chêne, et même imaginer l'eau miroitante. La nuit, Emma ne voyait pas bien, mais elle continua à scruter l'obscurité.

« Qu'est-ce que c'est ? » pensa-t-elle. Elle venait d'apercevoir une lumière qui se déplaçait lentement autour du pré. Elle resta à la fenêtre.

Sheltie hennissait toujours sourdement et grattait à présent la terre de son sabot.

Emma devina qu'il essayait de lui dire quelque chose. Elle décida d'aller le retrouver.

Elle s'habilla, descendit l'escalier sur la pointe des pieds, tira le verrou et ouvrit la porte de la cuisine. Puis elle se glissa dans le jardin. Dès que Sheltie la vit, il souffla bruyamment.

– Chut! Que se passe-t-il, mon Sheltie? murmura Emma.

Quand elle fut dans l'enclos, le poney la poussa pour qu'elle le suive à l'autre bout du champ, là où une haie assez haute séparait l'enclos du pré de M. Brown. La nuit était claire et tiède. Emma leva la tête: une multitude d'étoiles scintillaient dans le ciel. Baignées par la lune, la haie et l'herbe du pré ruisselaient d'une faible lumière argentée.

Emma passa entre deux arbustes en veillant à ne pas accrocher ses vêtements.

– Ne bouge pas, Sheltie! Je jette un coup

d'œil de l'autre côté, et je reviens, lui dit-elle.

À la lueur de la lune, elle reconnut les deux hommes. L'un d'eux éclairait le sol avec une torche, tandis que l'autre tenait à la main un drôle d'instrument. Cela ressemblait à une poêle à frire avec un très long manche.

L'homme à la poêle passait et repassait celle-ci sur l'herbe. Une petite lumière clignotait sur le manche. Quand les yeux d'Emma se furent habitués à l'obscurité, elle vit que l'homme portait des écouteurs.

De temps à autre, il s'arrêtait pour permettre à son compagnon de marquer l'endroit repéré à l'aide d'un petit piquet. Emma les observa quelques minutes, puis elle décida de rentrer se coucher. Elle retourna dans l'enclos et fit une dernière caresse à Sheltie. Les questions se bousculaient dans sa tête : à quoi servait ce drôle d'outil ? Que faisaient ces hommes ici en pleine nuit ? M. Brown était-il au courant ?

Le lendemain matin, Emma se réveilla tôt. Elle avala un bol de céréales pour son petit déjeuner, puis alla donner à manger à Sheltie : une grosse part de nourriture pour poney, à laquelle elle ajouta une petite poignée pour lui faire plaisir.
D'habitude, Sheltie avançait son museau dans la mangeoire avant même qu'Emma ait terminé de lui donner sa ration. Mais, aujourd'hui, il se contenta de la regarder.

Il soufflait, s'ébrouait et piaffait, l'air impatient.

– Qu'est-ce qu'il y a, Sheltie?

Emma ne comprenait pas.

Sheltie commença à racler le sol. Comme il repoussait son foin de côté, Emma remarqua un bout de papier par terre. C'était le papier qu'il avait raflé aux deux hommes la veille!

Le coquin, il avait seulement fait semblant de le manger!

Emma le ramassa et le prit à deux mains. C'était une carte, un vieux dessin représentant le village de La Pommeraie. Elle avait tout de suite repéré une forme en fer à cheval: l'étang, et, tout contre, le grand pré. Il y avait aussi le vieux chêne et le petit bois.

Emma reconnut sa maison et suivit du doigt le sentier qui descendait vers le pré. La ferme de M. Brown y figurait aussi, ainsi que le manoir de Fox Hall. Ce

n'était pas tout : Emma compta une bonne vingtaine de croix, éparpillées sur toute la surface du papier.

Elle retourna la carte. Tout en haut étaient tracés en lettres fines et étranges un nom et une adresse : Major Armstrong, manoir de Fox Hall, La Pommeraie, Chittlewink. En fait, la carte avait été dessinée au dos d'un vieux papier à lettres provenant du manoir.

Emma réfléchit un instant : le mieux était de le montrer sur-le-champ à ses parents. Mais son père était déjà parti travailler ;

quant à sa mère, elle confectionnait dans la cuisine les affiches pour la fête donnée en l'honneur des pompiers.

Le petit Jim, assis à la table, la regardait. Mme Matthews essayait en vain de le tenir à l'écart des pots de peinture. Jim adorait la peinture !

– Oh, Emma ! dit Mme Matthews, tu serais un ange de porter ces gâteaux à M. Crock. C'est pour le remercier des carottes qu'il nous a données l'autre jour.

Six gâteaux étaient alignés dans une boîte rouge posée sur la table.

Emma glissa le vieux plan dans la poche de son jean et prit les gâteaux. Elle montrerait la vieille carte à sa mère à un moment où celle-ci serait moins occupée.

5

M. Crock était dans son potager en train de planter des salades. Sheltie passa la tête par-dessus le mur de pierre et fit entendre un bruit moqueur en soufflant des naseaux. Quand M. Crock leva la tête et vit que c'était Sheltie, il sourit.

– Bonjour, Emma, dit-il.

Depuis le dénouement de l'affaire des choux*, ils étaient devenus bons amis, et

---

* Voir *Sheltie le poney shetland*, n° 401 de la série.

M. Crock n'était plus grincheux comme autrefois. Il remercia Emma pour les gâteaux et l'invita à entrer pour boire un verre de limonade.

Emma le suivit dans la cuisine et le regarda remplir deux verres. La tête de Sheltie apparut à la fenêtre. Il prit l'air innocent : Emma lui avait fait promettre de bien se tenir.

Tout en buvant sa limonade, elle décida de montrer le plan à M. Crock et de lui parler des deux hommes et de leur mystérieuse poêle à frire.

M. Crock l'écouta très attentivement. Puis il se mit à examiner soigneusement l'envers et l'endroit de la carte.

– Je crois savoir ce que c'est, Emma, dit-il enfin. Il y a de nombreuses années de cela, juste avant sa mort, le major s'était imaginé que des voleurs allaient venir le dépouiller de ses objets de valeur. Alors, un jour, il a décidé de les enterrer en lieu sûr ! Il a enfoui son trésor dans un endroit secret, connu de lui seul. Et il a oublié où ! Ses enfants, furieux, ont cherché partout, car il avait enterré non seulement ses objets personnels, mais aussi une collection familiale de pièces d'or. On racontait qu'il avait dessiné une carte du lieu, mais qu'il ne se souvenait pas davantage de l'endroit où il l'avait mise. Personne n'a jamais retrouvé ni la carte, ni le trésor. Le major avait dû la cacher dans un vieux livre ou quelque chose comme ça. Et tu sais ce que je pense, Emma ? C'est que cette carte est celle du trésor perdu du major !

– Et donc, ces deux hommes l'ont retrouvée et ils essaient de mettre la main sur le trésor !

M. Crock expliqua à Emma que l'étrange poêle à frire qu'ils utilisaient était probablement un détecteur de métal, qui pouvait servir à localiser, par exemple, les pièces d'or enterrées.

– Qu'allons-nous faire ? demanda Emma. Faut-il prévenir la police ?

M. Crock réfléchit un moment :

– Non, il vaut mieux ne rien dire à personne, pour l'instant, Emma. Après tout, ces deux hommes n'ont rien fait de mal. Et nous n'avons pas de preuves qu'ils recherchent le trésor du major.

– Mais s'ils le retrouvent, dit Emma, ils utiliseront l'argent pour remblayer l'étang du Fer à Cheval et construire leur horrible camping !

– Eh bien, il faut que tu les devances ! conclut M. Crock. Pourquoi n'irais-tu pas faire un tour à l'étang pour voir ce qu'il s'y passe ?

Quand ils sortirent de la maison, ils virent Sheltie dans le verger, la tête enfouie dans un pommier, occupé à se servir lui-même.

– Sheltie, vilain ! le gronda Emma.

– Cela n'a pas d'importance, Emma, dit M. Crock. Ce vieil arbre est couvert de pommes, et je ne verrai pas la différence s'il en manque une ou deux.

Le poney, plein de malice, arracha aussitôt un autre fruit et le croqua avec délices.

6

Emma dirigea Sheltie sur le sentier qui
descendait vers le pré de M. Brown.
Quand ils arrivèrent à l'étang du Fer à
Cheval, les deux hommes n'étaient pas
encore là. Seuls les petits piquets jaunes
plantés çà et là signalaient leur passage.
Emma jeta un coup d'œil sur sa montre.
Il était dix heures du matin.

– Ils doivent être encore en train de
dormir, dit Emma à Sheltie. Je suppose
qu'ils sont très fatigués d'avoir passé la

nuit à creuser tous ces trous.

Sheltie hocha la tête en regardant le pré, comme s'il approuvait.

«Eh bien, nous reviendrons de bonne heure, demain matin, et nous leur jouerons un bon tour», se dit Emma avec un petit rire en regagnant sa maison.

L'après-midi, Emma donna un bon coup de brosse à la robe du poney. Tout en démêlant les nœuds de sa longue crinière, elle pensait au major Armstrong et à son trésor. «C'est étrange qu'il ait oublié où il l'a enterré, pensait-elle. Quel étourdi!» Emma se demanda où elle-même aurait caché un trésor.

– J'aurais choisi un endroit où on ne puisse pas me voir creuser, confia-t-elle à Sheltie. En tout cas, pas en plein milieu du pré.

Sheltie pencha la tête d'un côté en dressant les oreilles. Il écoutait très attentivement tout ce que disait Emma.

Celle-ci entreprit alors de peigner la longue queue du poney, qui touchait presque le sol.

– Oui, je l'aurais enterré quelque part où personne n'aurait jamais l'idée d'aller, poursuivit-elle.

Soudain, elle se tapa le front :

– J'ai trouvé, Sheltie !

Le petit poney dressa les oreilles.

– Je l'aurais enterré sous le plus gros houx du bois des Épines !

Sheltie approuva de la tête et éternua. Lui aussi pensait certainement que c'était l'endroit rêvé !

Plus Emma réfléchissait au lieu idéal pour enterrer un trésor, plus elle avait envie de vérifier si le vieux major Armstrong n'avait pas eu la même idée.

Elle savait que les deux hommes seraient encore en train de travailler dans le pré. Aussi décida-t-elle de le contourner et d'arriver de l'autre côté du bois des Épines.

Il était trois heures quand elle conduisit Sheltie le long de la clôture du pré. Comme elle s'y attendait, les deux hommes étaient là. Ils creusaient des trous aux endroits marqués par les piquets jaunes.

Emma s'arrêta aussi près que possible du bois et sauta de selle. Elle recommanda à Sheltie de bien surveiller les alentours, puis elle partit en exploration. Elle ramassa d'abord un long bâton pour repousser les branches. Elle avait du mal à se frayer un chemin à travers le taillis.

Elle finit par traverser les fourrés, et se retrouva devant une énorme boule de houx recouverte de millions de feuilles hérissées de piquants.

« Oui, c'est là que j'aurais caché le trésor ! » pensa-t-elle. Mais comment entrer là-dessous ? Elle fit le tour du buisson, puis s'allongea sur l'herbe et regarda sous les branches basses. Elle découvrit un espace étroit, comme un couloir secret qui menait au cœur du buisson géant. En rampant, Emma réussit à s'y faufiler.

Les feuilles épineuses s'accrochaient à ses cheveux et à ses vêtements, mais elle ne le remarquait même pas. Une fois à l'intérieur du fourré, elle se mit à frapper doucement le sol avec son bâton. Celui-ci buta contre quelque chose de solide. C'était une grosse pierre située juste au centre. Emma enleva les feuilles et la terre qui la dissimulaient. Un signe blanc était tracé dessus. La peinture était vieille, mais Emma distingua la forme d'une croix.

Soudain, une voix derrière elle la fit sursauter :

– Qu'est-ce que tu fiches ici ?

7

Emma abandonna son bâton et sortit du fourré en rampant à reculons. Elle se leva. L'homme aux cheveux roux se tenait devant elle. Les poings sur les hanches, il la regardait durement. Emma se sentit rougir jusqu'aux oreilles.

– Rien ! répondit-elle. Je cherchais des champignons.

– Les champignons ne poussent pas sous les buissons de houx, répliqua l'homme.

– Quelquefois si, dit Emma. Il y en a plein par ici !

– Eh bien, tu ferais mieux d'aller voir ailleurs. On te l'a déjà dit, nous n'aimons pas que des gamins rôdent autour de nous pendant que nous travaillons.

Sur ces mots, l'homme tourna les talons. Emma se hâta de retrouver Sheltie et remonta en selle. Quelques minutes plus tard, elle descendait le sentier au galop pour raconter à M. Crock sa découverte.

Tôt le lendemain matin, M. Crock, l'air enjoué, vint retrouver Emma dans l'enclos. Il portait une truelle et un grand sac en plastique. Sheltie venait juste de finir son petit déjeuner, et Emma remplissait son abreuvoir.

– Voici les instruments que tu m'as demandés, Emma. Je ne peux pas t'accompagner ce matin. Alors, sois prudente et ne t'attire pas d'ennuis !

Il était huit heures quand Emma et Sheltie remontèrent le sentier.

Quand ils arrivèrent au pré, les deux hommes étaient encore sous leur tente, profondément endormis, comme Emma l'avait prévu.

– Nous ne devons pas faire de bruit, Sheltie, murmura Emma.

Elle s'approcha sur la pointe des pieds des trous fraîchement creusés. Puis elle plongea la main dans le sac en plastique, en retira quelques vieilles boîtes de

45

conserve et les laissa tomber dans les trous. Elle recouvrit le tout de terre, et Sheltie l'aida à tasser le sol avec ses sabots.

– Voilà qui donnera du fil à retordre au détecteur de métal ! gloussa Emma.

Bientôt toutes les boîtes de conserve furent enterrées. Emma s'imaginait la tête des deux hommes quand ils les découvriraient !

Ensuite, ils se dirigèrent vers le bois des Épines. En passant devant la tente. Emma entendit les deux hommes ronfler à l'intérieur. Ils dormaient toujours à poings fermés !

Elle conduisit Sheltie vers le gros buisson de houx et lui montra l'ouverture sur le côté. Il s'ébroua avec vigueur et secoua sa crinière.

– Cette fois, préviens-moi s'il se passe quelque chose d'anormal !

Puis elle se faufila à l'intérieur du

buisson et passa la main sur la pierre lisse, là où était peinte la croix blanche.

– Je suis sûre que nous allons trouver ici ce que nous cherchons, Sheltie, chuchota la petite fille.

Le poney monta la garde tandis qu'Emma déplaçait la pierre et se mettait à creuser.

8

Emma avait à peine commencé à fouiller que sa truelle rencontra quelque chose de dur, produisant un bruit sourd. Elle ôta la terre et découvrit une petite malle en métal, munie d'une grosse serrure sur le devant et de deux anses rouillées, une de chaque côté.

Emma était rouge d'excitation. Elle triomphait :

– C'est le trésor, Sheltie ! Nous avons trouvé le trésor du major Armstrong !

Sheltie secoua la tête et s'ébroua avec force.

Emma essaya de tirer la malle hors du trou, mais celle-ci était bien trop lourde pour qu'elle puisse la bouger.

– Oh là là ! Je n'y arriverai jamais ! Elle pèse au moins une tonne !

Emma sortit de dessous le houx. En se retournant vers le pré, elle aperçut alors, à travers les arbres et les buissons, les deux hommes devant leur tente. Ils étaient debout, en train de s'étirer et de bâiller au soleil.

– Oh, zut ! s'écria-t-elle. Ils sont réveillés !

Sheltie tourna la tête, il aperçut les hommes qui se frottaient les yeux. Encore endormis, ils n'avaient pas remarqué la présence d'Emma et du poney.

– Il faut cacher cette malle ! chuchota Emma.

Elle rampa de nouveau sous le buisson,

recouvrit la malle de terre, puis replaça dessus la grosse pierre. Puis, toujours avec précaution, elle conduisit Sheltie de l'autre côté du bois des Épines à travers le taillis. Bientôt, ils se trouvèrent hors de vue des deux hommes, qui ne se doutaient de rien.

Le cœur d'Emma battait à tout rompre tandis qu'ils se faufilaient à travers un passage de la clôture et empruntaient le sentier conduisant à la maison.

Une fois arrivé à l'enclos, Sheltie s'ébroua encore, comme pour dire : « Nous l'avons échappé belle ! »

Emma avait eu si peur qu'elle pouvait à peine respirer. Ses vêtements et ses chaussures étaient couverts de boue.

Sa mère vint la rejoindre dans l'enclos, suivie du petit Jim. Quand il vit sa sœur aussi sale, il frappa dans ses mains et se mit à rire aux éclats.

– Emma ! s'écria sa mère. Qu'est-ce que

tu as fabriqué pour être dans un état pareil?

Emma leva son visage strié par les égratignures:

— Je suis allée aux champignons, répondit-elle vivement. Sheltie et moi, nous en avons cherché derrière le champ de M. Brown.

— Vous n'avez pas eu beaucoup de chance, à ce que je vois!

– Non, confirma Emma. Peut-être qu'on en aura davantage demain.

Sa mère ne semblait pas convaincue :

– Qu'est-ce que vous mijotez, tous les deux ?

– Mais rien…, dit Emma.

Elle se remit en selle et s'éloigna au petit trot.

– Je vais passer voir M. Crock, lança-t-elle par-dessus son épaule. J'en ai pour une minute, je reviens tout de suite.

Sa mère les regarda disparaître sur le chemin, puis elle se tourna vers petit Jim :

– Je suis sûre que ces deux-là ont une idée derrière la tête !

Cette nuit-là, quand tout le monde se fut endormi, Emma sauta de son lit. Elle se posta à la fenêtre, essayant d'apercevoir l'étang du Fer à Cheval.

Quand elle vit des lumières qui se déplaçaient dans le pré, elle ne put s'empêcher de sourire en imaginant la mine des deux compères découvrant les vieilles boîtes de conserve. «Ils seront fous de rage!» se dit-elle.

Puis elle aperçut Sheltie debout près de la clôture de l'enclos et elle lui envoya un baiser du bout des doigts.

– À demain, Sheltie! C'est le jour du trésor! murmura-t-elle.

9

Emma se leva et s'habilla vers sept heures et demie. Elle enfila ses baskets et descendit l'escalier.

– Bonjour, Emma ! Tu es bien matinale ! lança son père.

M. Matthews ne travaillait pas ce jour-là. Il avait prévu de retirer le vieux papier peint des murs de la chambre de Jim. La mère d'Emma était assise à la table de la cuisine, en train de terminer ses affiches pour la fête des pompiers.

– Et où vas-tu de si bonne heure ? demanda-t-elle.

– Sheltie et moi attendons M. Crock. Il vient nous chercher pour ramasser des champignons derrière le pré de M. Brown. Il faut y être tôt pour cueillir les plus beaux.

– Chic ! Nous aurons une omelette aux champignons pour le déjeuner ! dit M. Matthews. Enfin, si Sheltie ne les mange pas avant !

Quelques instants plus tard, M. Crock arriva en poussant devant lui une brouette. En l'apercevant, Sheltie dressa les oreilles et souffla par les naseaux en faisant « pfft ! » d'un air moqueur.

– Petit effronté ! grommela M. Crock.

– Bonjour, Monsieur Crock, lui dit Mme Matthews en traversant la cour.

Elle désigna la brouette :

– Vous espérez en trouver autant ? Vous pourrez nourrir tout le village !

– Je vais ramasser un peu de petit bois tant que j'y serai, expliqua M. Crock. Cela m'évitera un autre voyage.

– Eh bien, bonne promenade !

Elle resta sur le seuil de la porte pour assister au départ d'Emma et de Sheltie, suivis de M. Crock.

Tout était encore calme dans le pré de M. Brown. Les deux hommes ronflaient sous leur tente. Emma sourit en remarquant à côté de celle-ci un tas de vieilles boîtes de conserve. La fillette et M. Crock échangèrent un clin d'œil complice.

Ils firent un grand détour et arrivèrent bientôt au bois des Épines. Sheltie leur ouvrait le passage en écartant les branches du houx. Son épaisse fourrure le protégeait des feuilles épineuses.

Arrivés près du gros buisson, ils étendirent une vieille couverture, que M. Crock avait apportée dans sa brouette. Puis Emma saisit la petite truelle et une corde, et elle rampa à l'intérieur du fourré. M. Crock montait la garde, caché derrière les arbres. Cette fois, la tâche fut facile. Emma repoussa rapidement la pierre et enleva la terre qui dissimulait la malle. Ensuite, elle passa la corde par l'une des anses et retourna auprès de Sheltie pour attacher les deux extrémités à sa selle. Elle donna une petite tape sur la croupe du poney pour le faire avancer.

Sheltie s'exécuta avec joie. Il y eut un craquement dans le buisson et, une

minute plus tard, le gros coffre tout rouillé était là.

Emma et M. Crock le contemplaient sans oser croire leurs yeux.

– On va le confier au capitaine Green, décida enfin M. Crock. Lui saura ce qu'il faut faire.

Ensemble, ils soulevèrent la malle et la hissèrent dans la brouette. Puis Emma la recouvrit avec la couverture.

– Et maintenant, le moment le plus délicat de notre plan ! dit M. Crock. J'espère que les deux affreux dorment toujours !

Emma sentit ses jambes flageoler. En regardant du côté du pré, elle venait d'apercevoir les deux hommes, debout devant leur tente !

10

Les hommes regardaient en direction du bois des Épines.

– Oh non ! dit Emma. Ils nous ont vus !
Ils viennent par ici. Qu'allons-nous faire ?
M. Crock se mit à ramasser des bouts de branches et de brindilles :

– Allons, dépêche-toi, Emma ! Empile dans la brouette autant de petit bois que tu pourras !

Très vite, la brouette fut remplie de bois mort. Le coffre et la couverture disparurent complètement sous les fagots.

– Qu'est-ce que vous avez à fureter par ici ? cria l'homme à la barbe sombre en arrivant au pas de course, suivi par son compère.

Il avait l'air très en colère et portait un long bâton à la main.

– Nous ne furetons pas, répondit Emma. Nous ramassons du petit bois pour allumer le poêle. M. Brown est d'accord.

– Ramasser du bois en plein été! C'est bizarre!

– Pas plus que traîner la nuit dans ce pré et creuser des trous, grommela M. Crock. On se demande bien ce que vous manigancez!

– Cela ne vous regarde pas, répliqua l'homme d'un ton brutal. Maintenant, du balai!

Emma et M. Crock étaient trop contents de pouvoir partir. Emma aida M. Crock à soulever la brouette et ensemble ils tentèrent de la pousser. Mais la brouette bougea à peine.

– C'est bien lourd pour du bois mort! intervint l'homme à la barbe. Voyons un peu ce que vous avez d'autre là-dedans…

L'homme aux cheveux roux remarqua un coin de couverture qui dépassait du chargement. Il tira dessus.

– Qu'est-ce que c'est que ça? sursauta l'homme à la barbe.

Il s'avança et arracha la couverture. Tout le petit bois se répandit sur l'herbe, découvrant la malle au trésor du major Armstrong.

— Ça alors ! crièrent les deux individus en écarquillant les yeux.

— Vous n'auriez pas un peu creusé aussi ? siffla l'une des brutes. Eh bien, merci, vous avez trouvé exactement ce que nous cherchions ! Va prendre une corde dans la Jeep, Red.

Emma se tourna vers le poney :

— Cours, Sheltie, sauve-toi ! Cours !

L'homme se retourna vers le poney, mais celui-ci galopait déjà à travers bois.

— Dépêche-toi de m'apporter la corde, Red. Je vais les ligoter, ces deux rigolos.

Emma se retint de pleurer. Elle tremblait de tous ses membres.

L'homme menaça M. Crock de son bâton :

— Je vous conseille de rester calme ! Pas de bêtises !

Emma crut qu'elle allait s'évanouir. L'autre homme revint avec la corde et les attacha ensemble.

– Mets-les contre cet arbre, Red, dit l'homme au bâton.

Emma et M. Crock s'assirent contre le tronc d'arbre, les mains et les pieds liés.

– Ne croyez pas que vous allez vous en sortir comme ça, prévint M. Crock.

– C'est ce qu'on va voir, ricana l'homme. On ne sera pas longs à plier bagage et à déguerpir !

– Nous avertirons la police, dit Emma. Et vous ne pourrez jamais vous servir du trésor pour acheter le pré et installer votre sale camping !

– Nous n'avons jamais eu l'intention d'installer de camping, pauvre bécasse ! railla l'homme. C'était juste un prétexte pour mettre la main sur le trésor. Nous avons ce que nous voulions, et maintenant, adieu !

– Vous n'allez pas nous laisser comme
ça ! s'écria Emma.

– Oh que si ! répliqua l'homme en rica-
nant. Et ce n'est pas la peine d'appeler à
l'aide. Cet idiot de Brown est parti pour
la journée, et les autres maisons sont loin.
On ne vous entendra pas.

– Ne t'en fais pas, Emma, intervint
M. Crock. Ta maman viendra nous chercher quand elle ne te verra pas rentrer à la
maison à l'heure du déjeuner.

– D'ici là, nous, on sera à l'autre bout du

comté, lança le rouquin en partant d'un gros rire.

Ils saisirent chacun une poignée de la lourde malle au trésor et la chargèrent sur la Jeep. Ensuite ils s'employèrent à ranger leurs affaires en toute hâte.

– Il faut faire quelque chose ! s'écria Emma.

Soudain, elle eut une idée : Sheltie ! Bien sûr, il devait se cacher quelque part ! Sheltie, lui, saurait comment les sortir de cette situation ! Elle prit une grande respiration et l'appela de toutes ses forces.

11

Sheltie n'était pas allé très loin : il était juste dans le champ voisin, derrière la haie. En entendant la voix d'Emma, le petit poney dressa les oreilles. Puis il pencha la tête de côté, comme pour mieux écouter.

Sa petite maîtresse avait besoin de lui !

Sheltie regarda autour de lui en humant, puis il partit au galop vers la clôture. Il s'arrêta devant la barrière et inspecta le pré de M. Brown.

Il ne voyait pas Emma, mais il aperçut les deux hommes qui s'affairaient autour de leur voiture.

– SHELTIE !

La voix d'Emma tremblait de terreur. Sheltie comprit que son amie était en danger.

Il poussa un hennissement retentissant et se mit à galoper sur le chemin qui menait à la maison.

Il trouva la porte du jardin fermée : M. Matthews y avait placé un loquet pour empêcher Jim d'aller sur le chemin.

Sheltie regarda le loquet, qui ressemblait tout à fait à celui qui fermait la porte de son enclos. Il attrapa la clenche avec ses dents et tira légèrement. Le loquet glissa. Sheltie poussa la porte de la tête et fila directement vers l'arrière du bâtiment.

La bicyclette du capitaine Green était appuyée contre le mur. Il venait récupérer les affiches que la mère d'Emma avait préparées pour ses amis les pompiers. Sheltie cogna à la porte de la cuisine avec son sabot. Mme Matthews ouvrit. Sheltie frappa le sol de ses sabots et se mit à piaffer.

– Qu'y a-t-il, Sheltie? demanda-t-elle.

Elle devinait que Sheltie essayait de lui dire quelque chose.

– Où est Emma? Est-ce qu'il s'agit d'Emma, Sheltie?

M. Matthews sortit de la maison avec le capitaine Green:

– Que se passe-t-il?

– C'est Sheltie, dit sa femme. Il veut nous dire quelque chose. Emma n'est pas avec lui ! Pourvu que rien ne lui soit arrivé !

Mme Matthews était au bord des larmes :

– Vas-y, Sheltie ! Montre-nous le chemin !

Sheltie poussa un fort hennissement et partit au petit trot. Au bout de quelques foulées, il s'arrêta et se retourna.

– Nous te suivons ! dit le capitaine Green.

Sheltie repartit au trot, s'assurant de

temps à autre que le capitaine et M. Matthews le suivaient. La mère d'Emma était restée à la maison pour s'occuper de Jim. Elle les regardait partir, très inquiète.

12

Les deux hommes avaient fini de charger leur Jeep et ils sautèrent dedans. Le coffre du major Armstrong trônait entre eux sur le siège avant.

La voiture démarra juste au moment où Sheltie franchissait en trombe la barrière et débouchait dans le pré.

Il fonça droit vers la Jeep au triple galop. Quand il fut tout près, il s'arrêta, lui bloquant courageusement le chemin.

Depuis le bois des Épines, Emma et

M. Crock suivaient la scène. Emma éclata en sanglots quand elle comprit que Sheltie ne bougerait pas d'un pouce.

La Jeep fit une embardée et évita le poney de justesse... mais pas le fossé. Les roues avant s'y embourbèrent. Le moteur cala. Emma pleurait toujours, mais maintenant c'était de soulagement.

Sheltie se retourna et rua de toutes ses forces, heurtant de ses sabots la portière du chauffeur.

L'autre porte de la Jeep s'ouvrit brutale-

ment et l'homme aux cheveux roux en jaillit. Il tenta de s'enfuir, mais le capitaine Green le saisit à bras-le-corps et le fit tomber dans l'herbe.

Sheltie se posta près de lui en tapant des sabots pour lui ôter l'envie de faire un mouvement.

Le chauffeur, assommé dans l'accident, gisait sur le siège, le nez dans le volant.

D'un coup d'œil, le policier évalua la situation. Il vit Emma et M. Crock attachés à leur arbre. Il se glissa à l'intérieur de la Jeep, prit la clé de contact et passa les menottes au conducteur. Puis il appela la gendarmerie par radio.

Ensuite, lui et M. Matthews se précipitèrent vers le bois. Emma sanglotait de joie :

– Papa ! Je savais que Sheltie nous aiderait ! J'en étais sûre !

Pendant que le capitaine Green défaisait leurs liens, Emma raconta l'histoire du trésor caché.

– Maintenant que nous avons trouvé le coffre, nous pourrons sauver l'étang !

M. Matthews serra Emma dans ses bras. Il était très fier d'elle et heureux de la retrouver saine et sauve.

Une Range Rover de la police déboucha sur le chemin, et trois policiers en sortirent pour emmener les malfrats au poste. Emma avait passé ses bras autour du cou de Sheltie et enfoui son visage dans sa crinière. Les yeux du poney brillaient.

– Oh, Sheltie ! C'est toi le plus intelligent ! lui chuchota-t-elle à l'oreille.

Il hennit bruyamment. M. Crock et le capitaine Green approuvèrent, et Sheltie se mit à piaffer.

De retour à la maison des Matthews, le capitaine Green entreprit d'ouvrir le grand coffre de métal. La serrure était rouillée, et il dut utiliser les outils du père d'Emma.

Le couvercle s'ouvrit en grinçant... Le trésor du major Armstrong était bien là, sous leurs yeux : plusieurs pièces d'argenterie – des chandeliers, douze gobe-

lets, une série de cuillères – deux petites statuettes en or ainsi que les médailles de guerre du major. Et à part, dans un sac de velours noir, la collection de pièces d'or de la famille.

– Ça doit valoir une fortune ! siffla le capitaine. Les Armstrong vont être enchantés !

Lorsque les descendants du major récupérèrent leur bien, Emma et M. Crock furent invités au manoir de Fox Hall et se virent remettre une forte récompense.

Comme le trésor avait été trouvé sur les terres de M. Brown, ils pensèrent qu'il était juste qu'une partie de cet argent soit versée au fermier. Cela l'aiderait à sauver son étang. En effet, M. Brown n'eut pas besoin de vendre une seule parcelle de terre. L'étang du Fer à Cheval resterait tel qu'il était. Grâce à Emma et à Sheltie, le petit village de La Pommeraie demeurerait un endroit paisible !

À la fin de cette journée mémorable
Emma se rendit dans l'enclos avec un sac
de carottes fraîches. Sheltie, tout fringant,
caracolait gaiement. Quand il aperçut
Emma et son sac de carottes, il s'élança
vers elle et le lui arracha des mains avant
de se mettre à galoper tout autour de l'enclos en répandant des carottes partout !

Emma éclata de rire :

— Oh, Sheltie, tu es un voyou ! Mais tu es le meilleur poney du monde !

Sheltie, qui s'était arrêté pour déguster les carottes, fit entendre son bruit moqueur : «Pfft!» Cette fois, cela signifiait qu'il était entièrement d'accord. Il était bien le plus futé de tous les petits poneys !

FIN

Et voici une nouvelle aventure
d'Emma et de Sheltie
dans
Sheltie
le poney shetland

1

– Je ne veux pas changer de maison, dit Emma. Je n'ai pas envie d'aller vivre à la campagne, c'est nul !

Derrière son journal, M. Matthews, le père d'Emma, haussa les sourcils sans rien dire. Sa mère sourit tout en beurrant une tartine pour Jim.

Emma prit un bol de céréales et versa du lait dessus.

– On ne connaît personne là-bas, poursuivit-elle. Et il n'y a rien à faire ! Pourquoi vous voulez déménager ? On est très bien ici !

Cette fois, sa mère la regarda d'un œil sévère :

– Arrête, Emma, s'il te plaît ! Tu sais très bien que nous devons partir à cause du travail de papa. Et ce sera beaucoup mieux pour ton frère et toi de vivre au grand air, de courir dans les prés et de jouer dehors toute la journée. C'est une nouvelle vie qui commence pour nous. Une véritable aventure. Tu vas adorer ça, j'en suis sûre !

– Et moi, je suis sûre que non, répliqua Emma d'un ton boudeur. Je vais détester !

À midi, tout était prêt et empaqueté pour le grand départ. Mais la route était longue, et il faisait nuit lorsqu'ils arrivèrent enfin à La Pommeraie. Jim et Emma s'étaient endormis dans la voiture. Leurs parents les portèrent dans leur lit sans les réveiller.

Le lendemain, Emma fut tirée de son sommeil par un bruit étrange. « Qu'est-ce que ça peut bien être ? » se demanda-t-elle, encore à moitié endormie. Elle se frotta les yeux et mit un moment à comprendre où elle était. Cette drôle de petite pièce aménagée au grenier, c'était sa nouvelle chambre.

Dehors, le coq s'égosilla de nouveau. Emma se glissa hors du lit pour aller regarder par la fenêtre. C'était une journée splendide. De vertes collines s'étendaient à perte de vue. Dans les prés environnants, des vaches et des moutons paissaient tranquillement. Un ruisseau serpentait à travers un verger peuplé de vieux pommiers. Un peu plus loin, un champ de tournesols découpait un grand rectangle d'or dans le paysage.

Tout à coup, Emma ouvrit de grands yeux. Au fond du jardin, il y avait un enclos. Et dans cet enclos, un poney ! Un poney shetland tout dodu, à peine plus

grand qu'elle. Ses naseaux arrivaient juste à la hauteur de la barrière. Avec son pelage couleur caramel, ses jambes courtes et son ventre rond, on aurait dit un cochon d'Inde géant!

Emma s'habilla rapidement et descendit au rez-de-chaussée sans prendre le temps de chercher ses chaussures. Comment les retrouver dans un tel bazar? Les valises et les cartons de déménagement encombraient toute la maison! Emma finit par dénicher ses bottes vertes en caoutchouc. Elle les enfila sur le pas de la porte, puis se précipita dans l'allée du jardin qui menait à l'enclos.

Quand le poney la vit arriver, il se mit à trotter en rond. Emma s'approcha de la clôture, monta sur le barreau du bas et tendit les bras. Le petit cheval avança vers elle et posa ses lèvres tièdes et duveteuses au creux de ses mains pour lui dire bonjour à sa façon.

— Comme tu es beau! s'exclama Emma.

À travers les poils drus de sa crinière, le poney la regarda avec des yeux brillants. Emma le caressa et se pencha pour mieux voir sa tête. Elle passa les bras autour de son encolure et se serra contre lui. Doux comme un agneau, l'animal se laissa faire sans bouger.

Mme Matthews traversa le jardin, une botte de carottes fraîches à la main.

— Ah! Je vois que tu as déjà fait la connaissance de Sheltie! s'écria-t-elle.

Emma se retourna et sauta de la barrière. Dès qu'il aperçut les carottes, Sheltie se mit à caracoler comme un fou.

— Il est adorable, Maman! À qui est-il?

— À toi si tu le veux, répondit sa mère, sûre de la réponse d'Emma.

Elle tendit une carotte, que Sheltie engloutit en un clin d'œil.

— En fait, reprit-elle, ce poney appartient à Mme Longuet, la dame qui nous a vendu la maison. Mais comme elle va habiter en ville, elle nous a proposé de le garder. Cela te plairait, un poney rien qu'à toi?

— Oh oui, oui! s'écria Emma, folle de joie.

Sa mère donna au poney une autre carotte, et Emma éclata de rire en la

voyant disparaître aussi vite que la première.

— Est-ce que je pourrai le monter ? demanda-t-elle.

— Bien sûr ! Il est juste à ta taille. Mme Longuet nous apportera son équipement cet après-midi et elle te donnera ta première leçon d'équitation. Elle t'expliquera aussi comment t'occuper de lui.

Découvre vite la suite de cette histoire dans
Sheltie, le poney shetland
N° 401 de la série

Sheltie®